6 这是我的书
It's MY BOOK

6级：300字

父与子

会变出东西的书

原作：埃·奥·卜劳恩（E. O. Plauen）
文字编配：程以克（Vicki Cheng）
插图修配：乔　剑（Jian Qiao）

北京语言大学出版社
BEIJING LANGUAGE AND CULTURE UNIVERSITY PRESS

PHOENIX TREE
PHOENIX TREE PUBLISHING INC.

识读 穿 衣服 打开 快 回来 会

句型 这是……

字数 320 字

jīn tiān bà ba hé ér zi yào chū mén mǎi dōng xi
今天，爸爸和儿子要出门买东西。

bà ba shuō wài miàn lěng chuān shang dà yī ba
爸爸说：“外面冷，穿上大衣吧。”

bà ba zhàn zài jìng zi qián yì biān chàng gē yì biān
爸爸站在镜子前，一边唱歌一边

chuān yī fu hái gěi zì jǐ dǎ le gè lǐng jié
穿衣服，还给自己打了个领结。

āi wǒ de shǒu tào ne bà ba zhè me yì shuō
“哎，我的手套呢？”爸爸这么一说，
ér zi mǎ shàng qù zhǎo tā kàn le kàn dì shang yòu
儿子马上去找。他看了看地上，又
kàn le kàn zhuō zi xià miàn kě shì dōu méi zhǎo dào
看了看桌子下面，可是都没找到。
bà ba de shǒu tào dào nǎ li qù le ne
爸爸的手套到哪里去了呢？

bù zhǎo le wǒ men kuài chū mén ba bà ba
“不找了！我们快出门吧！”爸爸
lā qi ér zi de shǒu hé ér zi yì qǐ chū le mén
拉起儿子的手，和儿子一起出了门。
lù shang bà ba hái zài xiǎng shǒu tào dào nǎ li qù le
路上爸爸还在想：手套到哪里去了？
jiā li dì fang bú dà a
家里地方不大啊！

tā men kàn dào lù biān yǒu rén zài mài shū bà ba
他们看到路边有人在卖书，爸爸
ná qi yì běn shū ér zi wèn zhè běn shū jiǎng
拿起一本书，儿子问：“这本书讲
shén me bà ba shuō zhè běn shū jiǎng de shì
什么？”爸爸说：“这本书讲的是
zěn yàng biàn dōng xi tā jiāo nǐ zěn me bǎ dōng xi
怎样变东西，它教你怎么把东西
biàn méi le yòu zěn me bǎ tā biàn hui lai
变没了，又怎么把它变回来。”

bà ba yì dǎ kāi shū ér zi jiù jiào le qi lai
爸爸一打开书，儿子就叫了起来：

āi yā zhè běn shū tài hǎo le nǐ yì dǎ
“哎呀！这本书太好了！你一打

kāi tā nǐ de shǒu tào jiù biàn hui lai le
开它，你的手套就变回来了！”

bà ba kàn dào shū zhōng de shǒu tào yě jiào le qi
爸爸看到书中的手套，也叫了起

lai hái zhēn shì wǒ de shǒu tào ne kě shì
来：“还真是我的手套呢！可是，

tā shì zěn me pǎo dào zhè běn shū li de ne
它是怎么跑到这本书里的呢？”

ér zi shuō zhè shì běn huì biàn chu dōng xi de shū
儿子说：“这是本会变出东西的书

a nǐ shuō de tā kě yǐ bǎ dōng xi biàn hui
啊！你说的，它可以把东西变回

lai kuài mǎi xia zhè běn hǎo shū ba yǐ hòu jiù bú
来。快买下这本好书吧，以后就不

pà zhǎo bu dào dōng xi le
怕找不到东西了！”

1 今天，爸爸和儿子要出门买东西。爸爸说："外面冷，穿上大衣吧。"爸爸站在镜子前，一边唱歌一边穿衣服，还给自己打了个领结。

2 "哎，我的手套呢？"爸爸这么一说，儿子马上去找。他看了看地上，又看了看桌子下面，可是都没找到。爸爸的手套到哪里去了呢？

3 "不找了！我们快出门吧！"爸爸拉起儿子的手，和儿子一起出了门。路上爸爸还在想：手套到哪里去了？家里地方不大啊！

4 他们看到路边有人在卖书，爸爸拿起一本书，儿子问："这本书讲什么？"爸爸说："这本书讲的是怎样变东西，它教你怎么把东西变没了，又怎么把它变回来。"

5 爸爸一打开书，儿子就叫了起来："哎呀！这本书太好了！你一打开它，你的手套就变回来了！"

6 爸爸看到书中的手套，也叫了起来："还真是我的手套呢！可是，它是怎么跑到这本书里的呢？"

7 儿子说："这是本会变出东西的书啊！你说的，它可以把东西变回来。快买下这本好书吧，以后就不怕找不到东西了！"

魔术书

看图讲故事